白明植　圖文

　　出生於江華，主修西畫，曾任出版社的總編輯。創作小朋友喜歡的繪本時，是感到最幸福的時刻。繪有《享用大自然的美味（全四集）》、《WHAT？自然科學篇（全10集）》系列、《閱讀的鬼怪》等，而創作全圖文的繪本則有《豬學校（全40集）》、《人體科學繪本（全5集）》、《好吃的書（全7集）》、《低年級STEAM學校（全5集）》、《名偵探小串的生態科學（全5集）》等系列（以上均暫譯）。曾獲少年韓國日報優秀圖書插畫獎、少年韓國日報出版部門企劃獎、中央廣告大賞、首爾插畫獎。

千宗湜　監修

　　從首爾大學微生物系畢業後，至英國紐卡索大學醫學院微生物系獲博士學位。迄今為止，從江華島的潮間帶、南極的世宗基地、獨島等地尋找到新的微生物，並發表過兩百多篇學術論文，在國際間具有一定的學術地位。因為常從國內外自然界中，找出新型且多元的微生物，而被譽為「微生物獵人」。

　　歷經美國馬里蘭大學海洋生技研究中心研究員、韓國生技研究中心資深研究員，自2000年開始擔任首爾大學生命科學系的教授，開啟指導學生的教涯。也是Chunlab生技公司（www.chunlab.com）的創辦人，目前為韓國科學技術研究院（www.kast.or.kr）的正式會員。著作有《值得感謝的微生物、令人討厭的微生物》（暫譯）等書。

（知識繪本館）

微生物小祕密4　嘿！我是原生生物 奇形怪狀小精靈

作繪者｜白明植　監修｜千宗湜　譯者｜葛增娜　審訂｜陳俊嘉
責任編輯｜張玉蓉　美術設計｜丘山　行銷企劃｜陳詩茵

天下雜誌群創辦人｜殷允芃　董事長兼執行長｜何琦瑜
兒童產品事業群
副總經理｜林彥傑　總編輯｜林欣靜　版權專員｜何晨瑋、黃微真

出版者｜親子天下股份有限公司
地址｜臺北市 104 建國北路一段 96 號 4 樓
電話｜（02）2509-2800　傳真｜（02）2509-2462
網址｜www.parenting.com.tw
讀者服務專線｜（02）2662-0332　週一～週五：09:00~17:30
傳真｜（02）2662-6048　客服信箱｜bill@cw.com.tw
法律顧問｜台英國際商務法律事務所・羅明通律師
製版印刷｜中原造像股份有限公司
總經銷｜大和圖書有限公司　電話｜（02）8990-2588

出版日期｜2022 年 3 月第一版第一次印行
定價｜320 元　書號｜BKKKC198P
ISBN｜978-626-305-161-4（精裝）

訂購服務

親子天下 Shopping｜shopping.parenting.com.tw
海外・大量訂購｜parenting@cw.com.tw
書香花園｜臺北市建國北路二段 6 巷 11 號　電話（02）2506-1635
劃撥帳號｜50331356 親子天下股份有限公司

國家圖書館出版品預行編目（CIP）資料

微生物小祕密. 4, 嘿!我是原生生物,奇形怪狀小精靈/
白明植圖.文. -- 第一版. -- 臺北市 :
親子天下股份有限公司, 2022.03
32面 ;19x25公分
注音版
ISBN 978-626-305-161-4(精裝)

1.CST: 微生物學 2.CST: 繪本
369　　　　　　　　　　　　110022189

미생물투성이 책 4: 원생생물 The Microbic Book: 4. Protist
Text and illustrations copyright © Baek Myoungsik, 2017
Consulted by Cheon Jongsik , Doctor of Microbiology
First published in Korea in 2017 by Bluebird Publishing Co.
Traditional Chinese edition copyright © CommonWealth
Education Media and Publishing Co., Ltd., 2022
All rights reserved.
This Traditional Chinese edition published by arrangement
with Bluebird Publishing Co. through Shinwon Agency Co.

立即購買 >

微生物小祕密 4

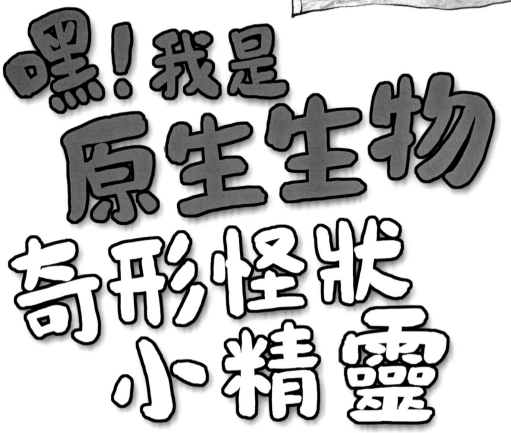

嘿！我是
原生生物
奇形怪狀
小精靈

白明植 圖文　千宗湜 監修　葛增娜 翻譯

陳俊堯 審訂
（慈濟大學生命科學系助理教授、科普文字工作者）

地球上繼細菌之後，
出現了叫做「變形蟲」的生物。
而且跟變形蟲一樣奇形怪狀的生物，
也不斷的出現。
像是草履蟲、有孔蟲、矽藻、眼蟲等，
連名字都很特別。
人們將這種生物稱為「原生生物」。

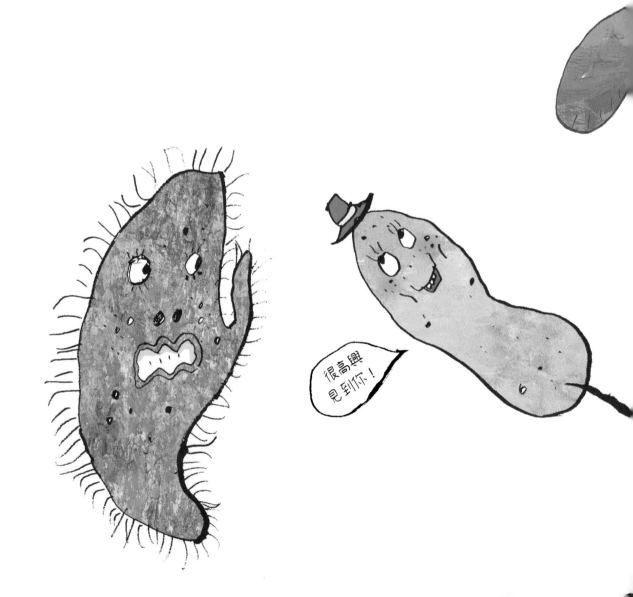

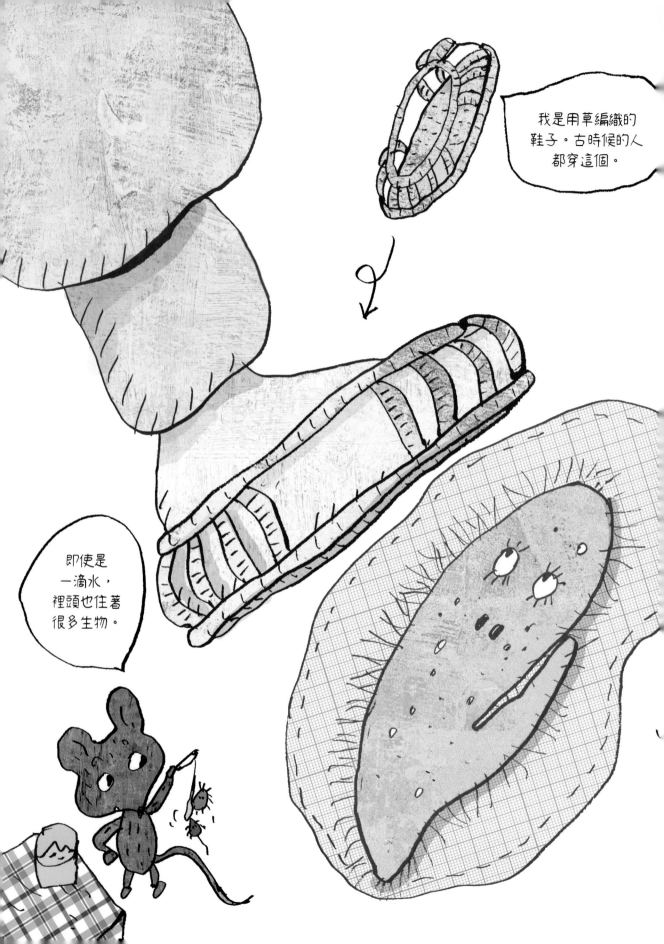

我是原生生物之一的草履蟲，
因為長得很像草鞋，才被取了這個名字。

我住在溼度很高的地方。
如果從池塘舀一杯水，用顯微鏡觀察的話，
大都能看到我的樣子。

從池塘舀回來的水

其他原生生物也都跟我一樣是單細胞生物。
我們草履蟲和鐘形蟲以纖毛移動，
變形蟲和太陽蟲用看起來像腳的偽足，
而眼蟲和浮游藻類則是利用鞭毛來移動。

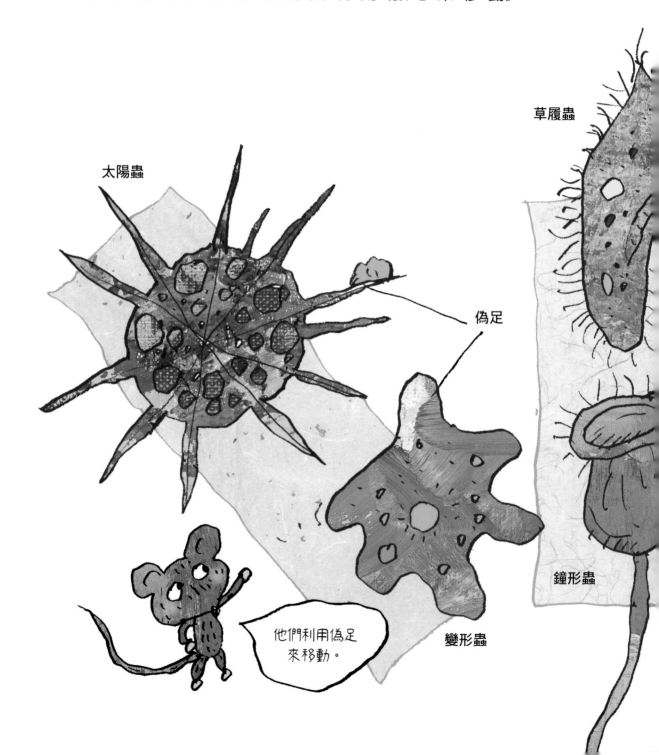

草履蟲

太陽蟲

偽足

鐘形蟲

變形蟲

他們利用偽足
來移動。

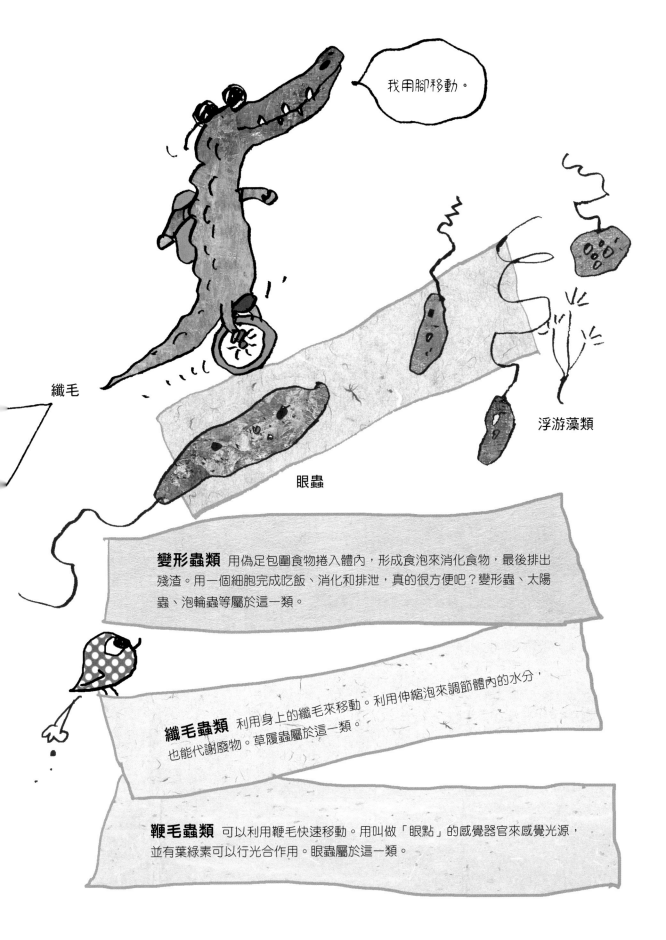

我用腳移動。

纖毛

浮游藻類

眼蟲

變形蟲類 用偽足包圍食物捲入體內，形成食泡來消化食物，最後排出殘渣。用一個細胞完成吃飯、消化和排泄，真的很方便吧？變形蟲、太陽蟲、泡輪蟲等屬於這一類。

纖毛蟲類 利用身上的纖毛來移動。利用伸縮泡來調節體內的水分，也能代謝廢物。草履蟲屬於這一類。

鞭毛蟲類 可以利用鞭毛快速移動。用叫做「眼點」的感覺器官來感覺光源，並有葉綠素可以行光合作用。眼蟲屬於這一類。

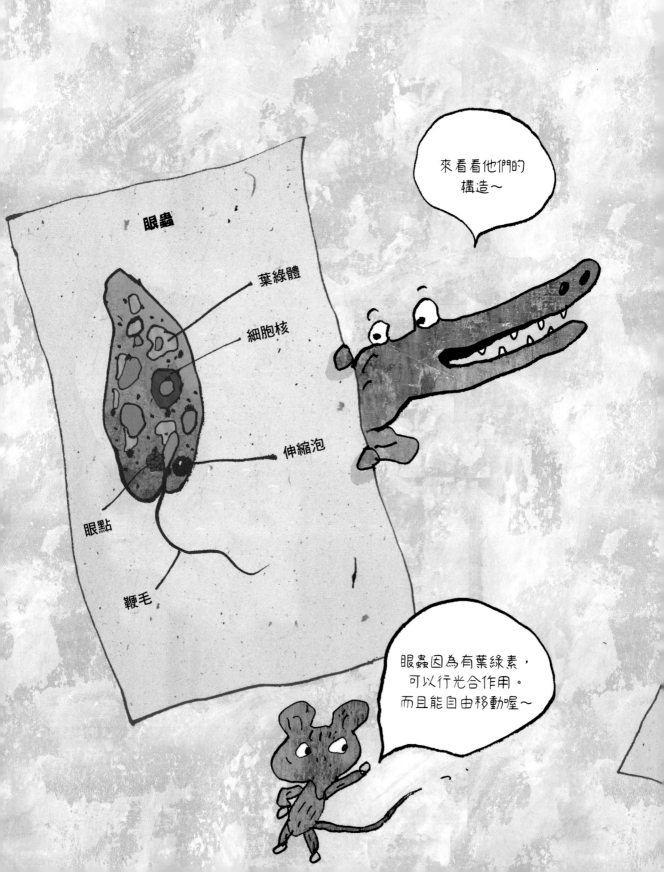

眼蟲住在池塘或水窪裡，
呈現淡綠色，利用鞭毛來移動。

變形蟲外形像人的耳垂或是管子，
會吃小的藻類或細菌過活。

綠藻則是圓圓的，
因為沒有鞭毛，所以無法自行移動。

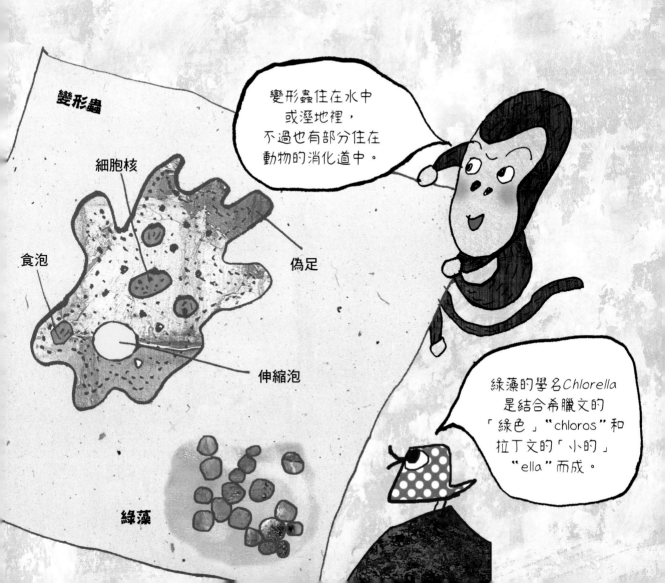

變形蟲

細胞核

食泡

偽足

伸縮泡

綠藻

變形蟲住在水中
或溼地裡，
不過也有部分住在
動物的消化道中。

綠藻的學名Chlorella
是結合希臘文的
「綠色」"chloros"和
拉丁文的「小的」
"ella"而成。

綠藻也可以成為人類的食物。

第一次世界大戰的時候，

德意志帝國因為一直打仗，而有糧食不足的問題。

當時的皇帝威廉二世問了科學家們：

「怎麼解決糧食不足的問題呢？」

「我們會試著用綠藻來製造糧食。」科學家回答。

綠藻在湖水、池塘等有水的地方，都很容易取得，

再加上用綠藻做出的食物有益健康。

於是，科學家們成功用綠藻做出了食物。

試著加入
許多綠藻～

揉進麵糰，
做出好吃的
麵包吧！

綠藻

但ㄉㄢˋ也ㄧㄝˇ有ㄧㄡˇ對ㄉㄨㄟˋ人ㄖㄣˊ類ㄌㄟˋ有ㄧㄡˇ壞ㄏㄨㄞˋ處ㄔㄨˋ的ㄉㄜ˙原ㄩㄢˊ生ㄕㄥ生ㄕㄥ物ㄨˋ，譬ㄆㄧˋ如ㄖㄨˊ渦ㄨㄛ鞭ㄅㄧㄢ毛ㄇㄠˊ藻ㄗㄠˇ。

渦ㄨㄛ鞭ㄅㄧㄢ毛ㄇㄠˊ藻ㄗㄠˇ的ㄉㄜ˙數ㄕㄨˋ量ㄌㄧㄤˋ突ㄊㄨˊ然ㄖㄢˊ變ㄅㄧㄢˋ多ㄉㄨㄛ時ㄕˊ，就ㄐㄧㄡˋ會ㄏㄨㄟˋ造ㄗㄠˋ成ㄔㄥˊ紅ㄏㄨㄥˊ潮ㄔㄠˊ。

什ㄕㄣˊ麼ㄇㄜ˙是ㄕˋ「紅ㄏㄨㄥˊ潮ㄔㄠˊ」？這ㄓㄜˋ是ㄕˋ一ㄧ種ㄓㄨㄥˇ藻ㄗㄠˇ華ㄏㄨㄚ現ㄒㄧㄢˋ象ㄒㄧㄤˋ，

是ㄕˋ指ㄓˇ原ㄩㄢˊ生ㄕㄥ生ㄕㄥ物ㄨˋ的ㄉㄜ˙數ㄕㄨˋ量ㄌㄧㄤˋ增ㄗㄥ加ㄐㄧㄚ，讓ㄖㄤˋ海ㄏㄞˇ水ㄕㄨㄟˇ變ㄅㄧㄢˋ紅ㄏㄨㄥˊ了ㄌㄜ˙。

這ㄓㄜˋ樣ㄧㄤˋ的ㄉㄜ˙話ㄏㄨㄚˋ，水ㄕㄨㄟˇ裡ㄌㄧˇ的ㄉㄜ˙氧ㄧㄤˇ氣ㄑㄧˋ含ㄏㄢˊ量ㄌㄧㄤˋ會ㄏㄨㄟˋ變ㄅㄧㄢˋ少ㄕㄠˇ，

魚ㄩˊ群ㄑㄩㄣˊ就ㄐㄧㄡˋ會ㄏㄨㄟˋ因ㄧㄣ為ㄨㄟˋ無ㄨˊ法ㄈㄚˇ呼ㄏㄨ吸ㄒㄧ而ㄦˊ死ㄙˇ掉ㄉㄧㄠˋ。

如ㄖㄨˊ果ㄍㄨㄛˇ人ㄖㄣˊ類ㄌㄟˋ又ㄧㄡˋ吃ㄔ了ㄌㄜ˙這ㄓㄜˋ個ㄍㄜ˙死ㄙˇ掉ㄉㄧㄠˋ的ㄉㄜ˙魚ㄩˊ，

就ㄐㄧㄡˋ會ㄏㄨㄟˋ中ㄓㄨㄥˋ毒ㄉㄨˊ而ㄦˊ可ㄎㄜˇ能ㄋㄥˊ因ㄧㄣ此ㄘˇ死ㄙˇ亡ㄨㄤˊ。

我們原生生物會用鞭毛或偽足移動；
並用口溝吃食物，或是直接用偽足把食物包起來，
再用伸縮泡排泄。

而我草履蟲的體內，前後共有 2 個伸縮泡。
不過我的朋友變形蟲和眼蟲，
只有 1 個位於身體後方的伸縮泡。

即使我們沒有腸胃，吃飯和排泄也完全沒問題，
因為體內的酵素會把食物消化掉。

填充伸縮泡

排空伸縮泡

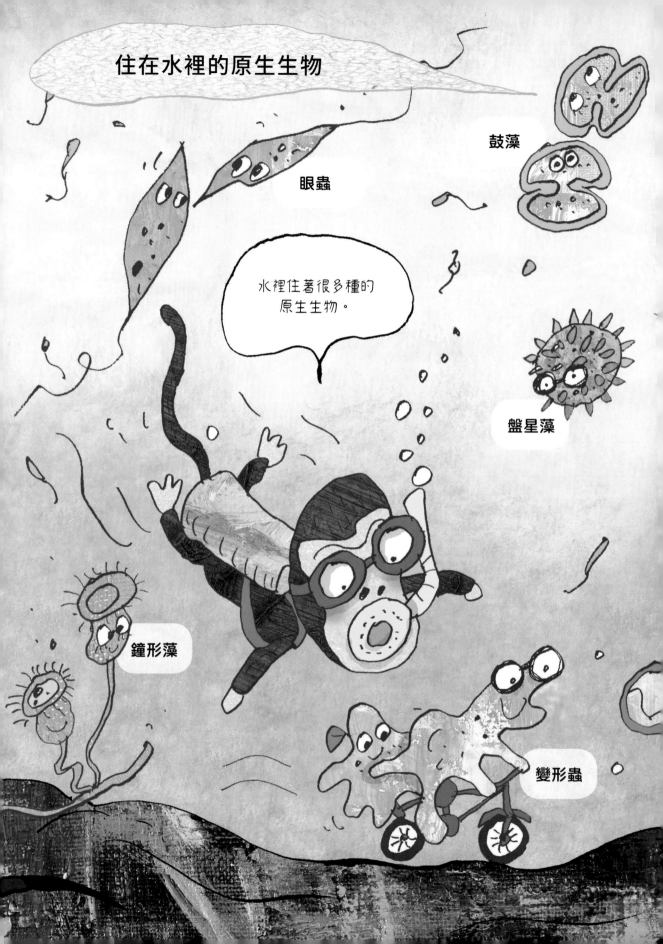

人體內也住著原生生物，
像是腸子裡住著梨形鞭毛蟲。
令人驚訝的，這位朋友是
第一個製造顯微鏡的雷文霍克，
從大便中發現的。

一般的變形蟲會吃掉
很微小的細菌來過活，
對人類不會造成很大的壞處。
不過有一種變形蟲叫
「福氏內格里阿米巴原蟲」，
主要出現在被污染的池水中，
若進入人腦裡會讓人死亡。

竟然從我的大便裡發現原生生物！

雷文霍克

雷文霍克的大便

也有引起嚴重腹瀉的原生生物，
例如痢疾阿米巴原蟲。
痢疾阿米巴原蟲會進入人的腸道裡，
讓人們開始拉肚子。
最嚴重則可能排血便後死掉。

痢疾阿米巴原蟲會隨著腹瀉排出體外，
然後進入另一個人的體內。
如果不想讓痢疾阿米巴原蟲進入體內，
最好的方法就是把手洗乾淨。

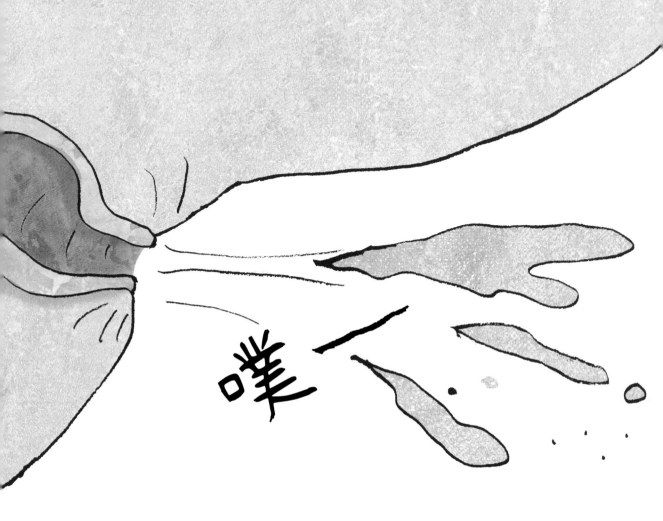

噗

海ㄏㄞˇ魚ㄩˊ的ㄉㄜ食ㄕˊ物ㄨˋ之ㄓ一ㄧ ── 浮ㄈㄨˊ游ㄧㄡˊ藻ㄗㄠˇ類ㄌㄟˋ也ㄧㄝˇ是ㄕˋ原ㄩㄢˊ生ㄕㄥ生ㄕㄥ物ㄨˋ。

「浮ㄈㄨˊ游ㄧㄡˊ」的ㄉㄜ意ㄧˋ思ㄙ是ㄕˋ漂ㄆㄧㄠ浮ㄈㄨˊ，
指ㄓˇ不ㄅㄨˋ會ㄏㄨㄟˋ自ㄗˋ行ㄒㄧㄥˊ游ㄧㄡˊ泳ㄩㄥˇ，只ㄓˇ能ㄋㄥˊ隨ㄙㄨㄟˊ著ㄓㄜ海ㄏㄞˇ水ㄕㄨㄟˇ漂ㄆㄧㄠ來ㄌㄞˊ漂ㄆㄧㄠ去ㄑㄩˋ。
就ㄐㄧㄡˋ像ㄒㄧㄤˋ名ㄇㄧㄥˊ字ㄗˋ一ㄧ樣ㄧㄤˋ，浮ㄈㄨˊ游ㄧㄡˊ藻ㄗㄠˇ類ㄌㄟˋ漂ㄆㄧㄠ浮ㄈㄨˊ在ㄗㄞˋ廣ㄍㄨㄤˇ闊ㄎㄨㄛˋ的ㄉㄜ大ㄉㄚˋ海ㄏㄞˇ裡ㄌㄧˇ，
成ㄔㄥˊ為ㄨㄟˊ海ㄏㄞˇ魚ㄩˊ的ㄉㄜ食ㄕˊ物ㄨˋ。

萬ㄨㄢˋ一ㄧ沒ㄇㄟˊ有ㄧㄡˇ浮ㄈㄨˊ游ㄧㄡˊ藻ㄗㄠˇ類ㄌㄟˋ的ㄉㄜ話ㄏㄨㄚˋ，魚ㄩˊ就ㄐㄧㄡˋ會ㄏㄨㄟˋ餓ㄜˋ死ㄙˇ，
人ㄖㄣˊ類ㄌㄟˋ也ㄧㄝˇ無ㄨˊ法ㄈㄚˇ吃ㄔ到ㄉㄠˋ好ㄏㄠˇ吃ㄔ的ㄉㄜ魚ㄩˊ了ㄌㄜ。

像ㄒㄧㄤˋ這ㄓㄜˋ樣ㄧㄤˋ，我ㄨㄛˇ們ㄇㄣ原ㄩㄢˊ生ㄕㄥ生ㄕㄥ物ㄨˋ不ㄅㄨˋ只ㄓˇ對ㄉㄨㄟˋ人ㄖㄣˊ類ㄌㄟˋ，
對ㄉㄨㄟˋ其ㄑㄧˊ他ㄊㄚ動ㄉㄨㄥˋ物ㄨˋ也ㄧㄝˇ有ㄧㄡˇ好ㄏㄠˇ處ㄔㄨˋ。

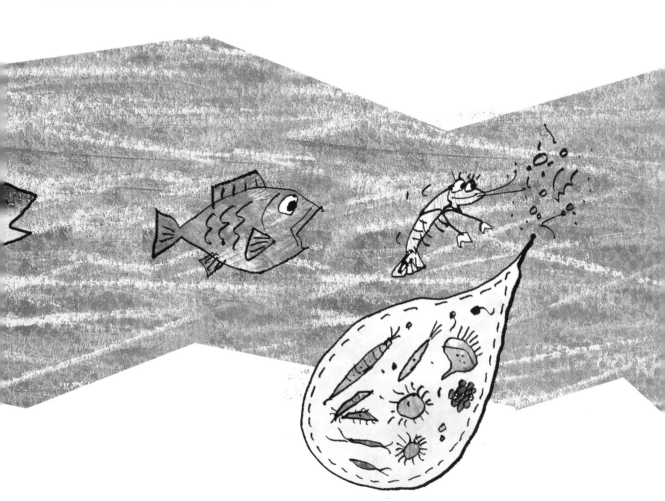

住ಸಿ在ಸಾ海ಸಿ裡ಸಿ的ಂ綠ಸಿ藻ಸಿ、褐ಸಿ藻ಸಿ、紅ಸಿ藻ಸಿ等ಸಿ海ಸಿ藻ಸಿ，
都ಸಿ是ಸಿ原ಸಿ生ಸಿ生ಸಿ物ಸಿ。
淺ಸಿ海ಸಿ中ಸಿ住ಸಿ著ಸಿ綠ಸಿ藻ಸಿ，再ಸಿ深ಸಿ一ಸಿ點ಸಿ的ಂ海ಸಿ裡ಸಿ住ಸಿ著ಸಿ褐ಸಿ藻ಸಿ。
紅ಸಿ藻ಸಿ居ಸಿ住ಸಿ的ಂ範ಸಿ圍ಸಿ最ಸಿ廣ಸಿ，既ಸಿ可ಸಿ以ಸಿ住ಸಿ在ಸಿ淺ಸಿ海ಸಿ，
也ಸಿ可ಸಿ以ಸಿ住ಸಿ在ಸಿ較ಸಿ深ಸಿ的ಂ海ಸಿ裡ಸಿ。

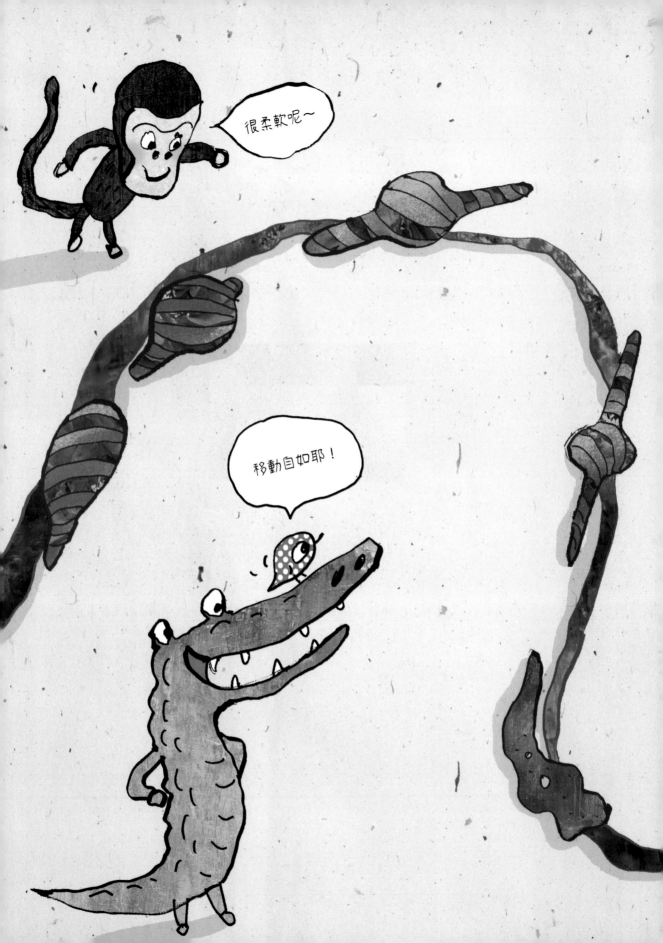

對了，人類正在參考我們原生生物來研發機器人呢！
就是以我們柔軟、凹凸不平、
能隨意移動來移動去的特性作為原型，
開發可以進到人體內的小小機器人。

這個機器人會沿著血管到人體各個地方進行治療，
可以除掉癌細胞，或是打通阻塞的血管。
不覺得很酷嗎？

還有最後一件事，人們愛吃的食物中，
也有我們原生生物 —— 那就是海帶和紫菜。
這些朋友不是住在海裡的植物或動物，
也跟我一樣是原生生物喔！

我們原生生物現在依然住在各個地方，
想要和人好好共處。
雖然也有對人類有害的壞朋友，
但請記得也有許多帶來好處的朋友喔！

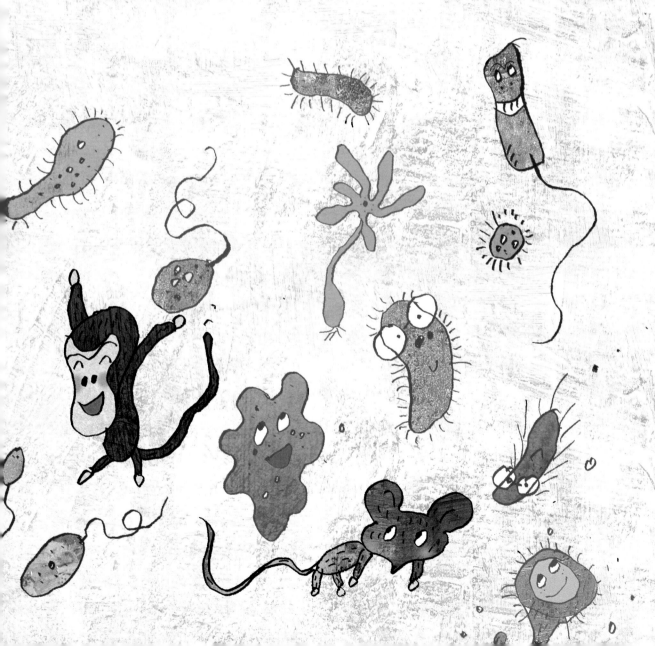

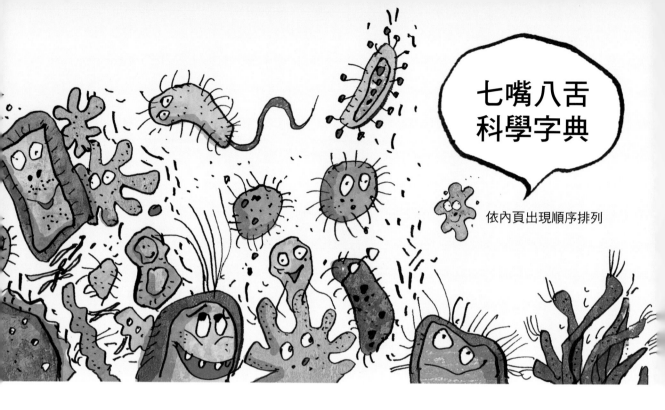

七嘴八舌
科學字典

依內頁出現順序排列

原生生物
單細胞生物統稱。原生生物不是植物，也不是動物。

草履蟲

具代表性的原生生物，也是單細胞生物。外面覆蓋著纖毛，主要吃
細菌維生。

綠藻
屬於綠藻類的單細胞生物。含有許多蛋白質、必需胺基酸、葉綠素
等養分，因此很常運用在健康食品上。而且生長速度很快，擁有一
整年都可以培植的優點，所以被積極開
發成未來糧食的來源。

藻華現象
浮游藻類短期內大量增加的現象，會危害到那個水域
其他生物的生存。

海藻
泛指住在海裡的藻類。我們吃的海帶、海苔等都是海
藻的種類。

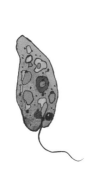

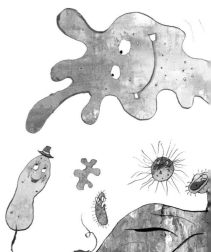